CHAPLEAU **2017**

Catalogage avant publication de Bibliothèque et Archives nationales du Québec et Bibliothèque et Archives Canada

Chapleau, Serge, 1945-

L'année Chapleau

ISSN 1202-8495
ISBN 978-2-89705-347-5

1. Caricatures et dessins humoristiques - Canada. 2. Canada - Politique et gouvernement - 2015- - Caricatures et dessins humoristiques. 3. Québec (Province) - Politiques et gouvernement - 2014- - Caricatures et dessins humoristiques. I. Titre.

NC1449.C45A4 741.5'971 C95-300755-3

Présidente : Caroline Jamet
Directeur de l'édition : Jean-François Bouchard
Directrice de la commercialisation : Sandrine Donkers
Responsable, gestion de la production : Emmanuelle Martino
Communications : Paul Gilbert

Éditrice déléguée : Sylvie Latour
Conception graphique : Célia Provencher-Galarneau
Rédaction des textes : Nicolas Forget
Correction d'épreuves : Sophie Sainte-Marie

L'éditeur bénéficie du soutien de la Société de développement des entreprises culturelles du Québec (SODEC) pour son programme d'édition et pour ses activités de promotion.

L'éditeur remercie le gouvernement du Québec de l'aide financière accordée à l'édition de cet ouvrage par l'entremise du Programme de crédit d'impôt pour l'édition de livres, administré par la SODEC.

Nous reconnaissons l'aide financière du gouvernement du Canada par l'entremise du Fonds du livre du Canada (FLC).

Dépôt légal – 4e trimestre 2017
ISBN 978-2-89705-347-5
Imprimé et relié au Canada

LES ÉDITIONS **LA PRESSE**
Les Éditions La Presse
750, boul. Saint-Laurent
Montréal (Québec)
H2Y 2Z4

CHAPLEAU **2017**

LES ÉDITIONS **LA PRESSE**

POUÊT!
POUÊT!

CLINTON ÉLUE !

INÉDITE

Note du caricaturiste : comme vous, jusqu'à la dernière heure, j'ai cru qu'Hillary Clinton deviendrait présidente. Voici donc, en exclusivité, le dessin que j'avais bien naïvement préparé en prévision de sa victoire.

TRUMP ÉLU !

INÉDITE

ABRI ANTI NUCLÉAIRE
PLAN

LES JEUX SONT FAITS, RIEN NE VA PLUS !

Hillary
MODERN
HANDGUN
STORM

PLAY TO WIN

MOSCOU SUSPEND LES RAIDS AÉRIENS
SUR ALEP EN SIGNE DE «BONNE VOLONTÉ»
NOUS PUS SAVOIR OÙ BOMBARDER!

Moscou soupçonnée d'avoir contribué à la victoire de Trump.

ATTAQUE CHIMIQUE EN SYRIE

APRÈS L'INITIATIVE « FAUT QU'ON SE PARLE »,
LE PQ LANCE SES PROPRES ASSEMBLÉES DE CUISINE

...ET J'APPORTE MA PROPRE VAISSELLE SALE!

Paul St-Pierre Plamondon consulte des électeurs pour « repenser le PQ ».

NON COUPABLE :
GND ÉCHAPPE AUX 120 HEURES DE TRAVAUX COMMUNAUTAIRES

DOMMAGE! J'EN AVAIS DÉJÀ ACCUMULÉ BEAUCOUP DANS MES ASSEMBLÉES DE CUISINE!

LA «MAISON À 5 MILLIONS» DE LEGAULT
INCOMPATIBLE AVEC SON DISCOURS, DIT LISÉE

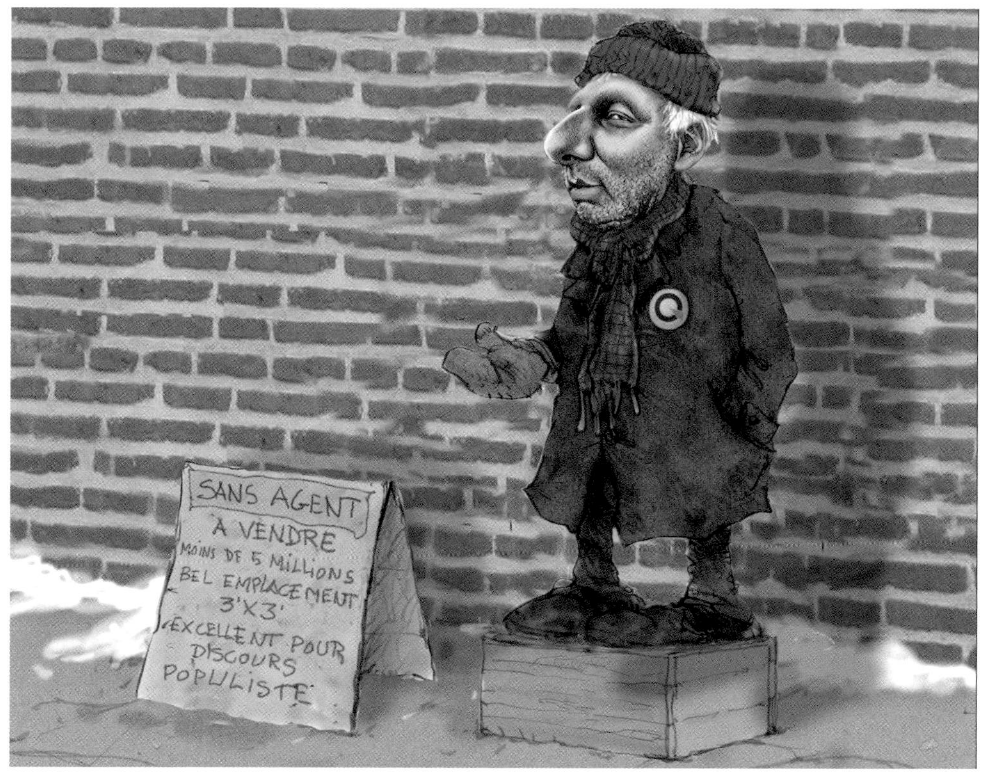

Le chef de la CAQ dénonce l'« élite » québécoise.

SONDAGE CROP LA PRESSE :
LA CAQ DEVANCE LE PQ

TU DEVRAIS FAIRE
DODO MON PITOU...
C'EST JUSTE UN SONDAGE!

IL NE FAUT VRAIMENT PAS RESPECTER LES FEMMES POUR DIRE DES MÉCHANCETÉS PAREILLES!
TRUMP

ET, EN TANT QUE FEMME, LA MINISTRE DAVID PEUT MANGER CE QU'ELLE VEUT!

ANJOU : GRÈVE SPONTANÉE DE 84 CHAUFFEURS DE LA STM

LE MÉSANGEAI : OISEAU OFFICIEL DU CANADA ?

Décès de Fidel Castro :
Trudeau louange l'ex-dictateur.

PROJET DE LOI SUR LES BANQUES

POURQUOI UN SOUPER DE FINANCEMENT
AVEC DES GENS D'AFFAIRES CHINOIS?

MISSION : RÉUNIFIER LE PARTI...

ET ATTIRER LES JEUNES

YO LE JEUNE, TU AS TA PLACE AU PQ ! LOL !

LE NOUVEAU PQ : JEUNE ET VERT

PAR CONTRE, TOUS LES 3 MOIS, AVEC VOTRE NOUVELLE COUCHE, RECEVEZ UNE PILE GRATUITE POUR VOTRE DÉTECTEUR DE FUMÉE !

ET J'AJOUTE EN PRIME, MON CHER GAÉTAN, DES COUCHES PRESQUE NEUVES !

LENDEMAIN DE DÉGUSTATION GASTRONOMIQUE

Gaétan Barrette invite les journalistes à goûter les nouveaux repas offerts dans les CHSLD.

BROMONT : UN HOMME SE FAIT PASSER POUR UN MÉDECIN ET EXTORQUE QUELQUES MILLIERS DE DOLLARS À DES MALADES

PFFT ! QUELQUES MILLIERS DE DOLLARS...
RIDICULE ! IL AURAIT DÛ SE FAIRE
PASSER POUR UN MÉDECIN SPÉCIALISTE !

MÉDICAMENTS GÉNÉRIQUES : NÉGOCIATIONS SERRÉES ENTRE GAÉTAN BARRETTE ET L'INDUSTRIE PHARMACEUTIQUE

JE SUIS QUAND MÊME
ALLÉ CHERCHER 40%

LE MINISTRE BARRETTE VEUT
ROUVRIR L'ENTENTE AVEC LES MÉDECINS

ON A ÉTÉ BATTUS PAR L'ARGENT ET LE VOTE ETHNIQUE!

Référendum à Outremont :
PAS DE NOUVEAUX LIEUX DE CULTE

MILLE APPAREILS DE LOTERIE VIDÉO MIS AU RANCART

PRESQUE 20 ANS APRÈS LE SCANDALE DES COMMANDITES,
JACQUES CORRIVEAU EST RECONNU COUPABLE

EN CES TEMPS INCERTAINS, UNE AUTRE BONNE NOUVELLE : MICHAEL APPLEBAUM COUPABLE !

GILLES VAILLANCOURT PLAIDE COUPABLE
ET DEVRA VERSER 8,5 MILLONS

AUCUNE POURSUITE CRIMINELLE CONTRE KPMG QUI A AIDÉ
DE RICHES CANADIENS À DÉJOUER LES LOIS DE L'IMPÔT

« Mieux que les Bougon »
RAMBO
LE DÉCONSTRUCTEUR
AVEC BERNARD "RAMBO" GAUTHIER

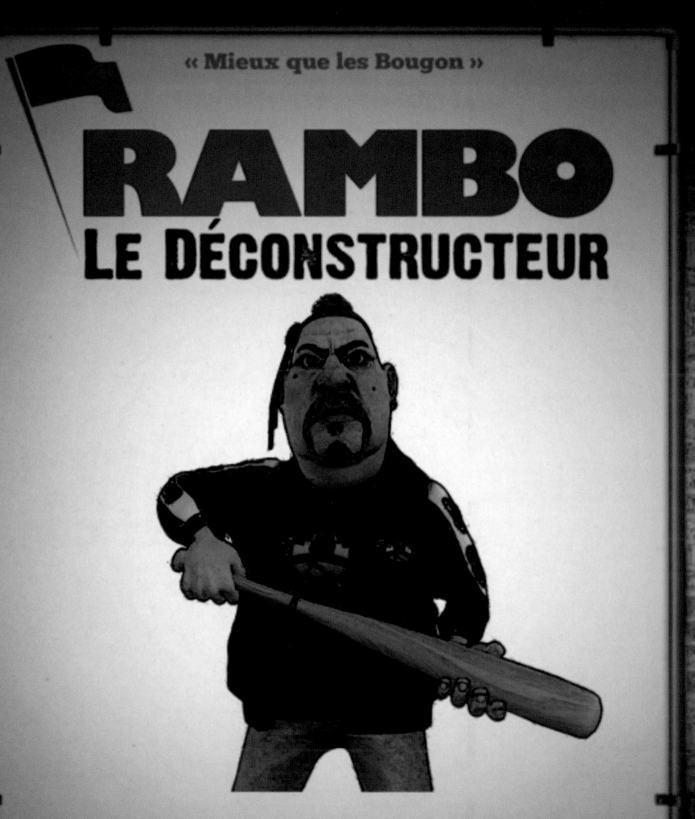

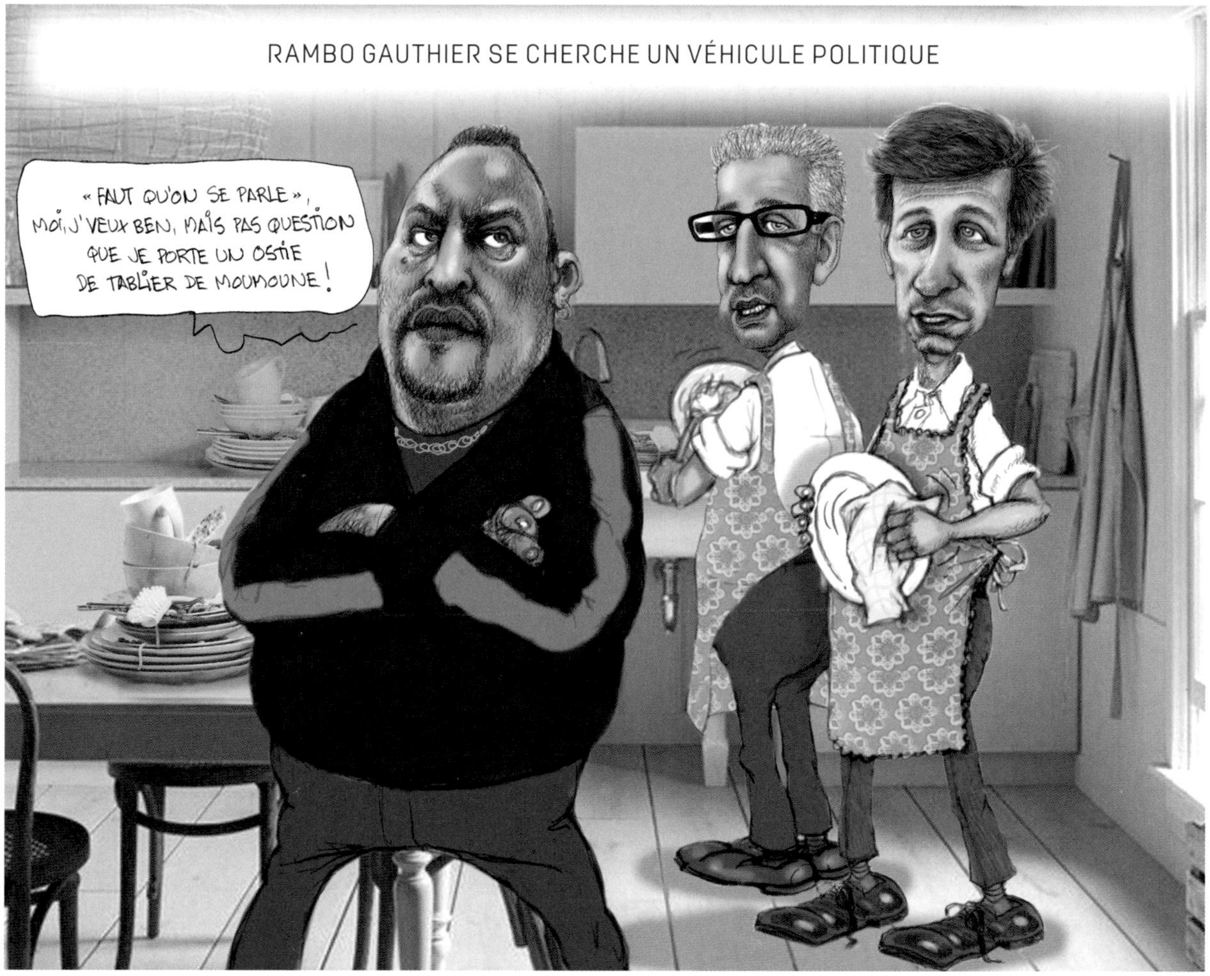

RAMBO GAUTHIER SE CHERCHE UN VÉHICULE POLITIQUE

« FAUT QU'ON SE PARLE », MOI, J'VEUX BEN, MAIS PAS QUESTION QUE JE PORTE UN OSTIE DE TABLIER DE MOUMOUNE !

PREMIÈRE CONFÉRENCE DE PRESSE : TRUMP RÉPOND AUX JOURNALISTES

TRUMP NOMME LE PATRON D'EXXONMOBIL SECRÉTAIRE D'ÉTAT

LE RETOUR DE *PASSE-PARTOUT* À LA TÉLÉVISION

RADIO-CANADA PROPOSE D'ENLEVER
TOUTE LA PUBLICITÉ À LA TÉLÉ

COLLECTION DE PHOTOS SOUVENIRS :
APRÈS NORMANDEAU, HAMAD, BOLDUC, DAOUST, BLAIS…

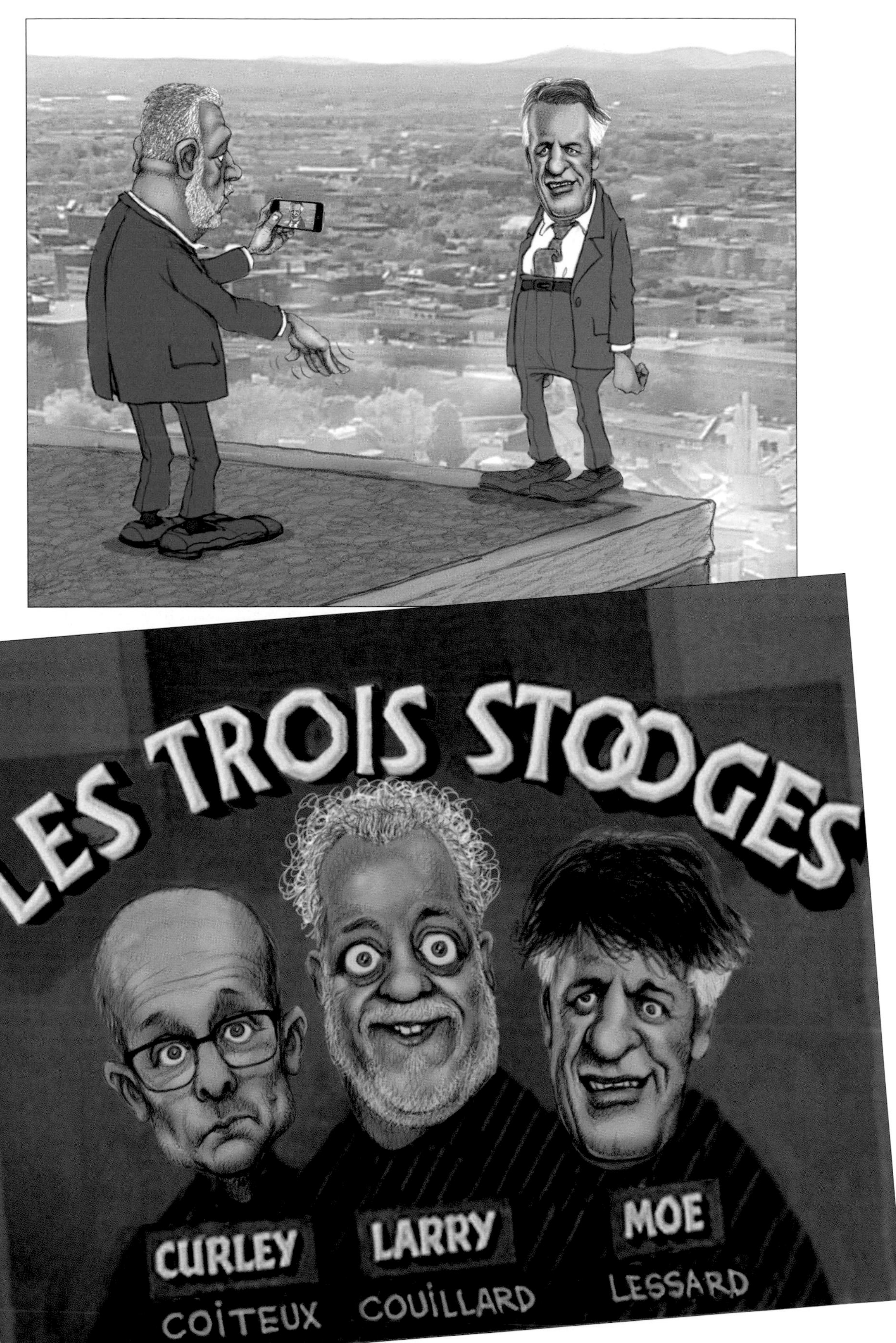

PIERRE MOREAU NOMMÉ AU CONSEIL DU TRÉSOR

STÉPHANE DION PROTESTE APRÈS
AVOIR ÉTÉ EXCLU DU CONSEIL DES MINISTRES

LE BON *TIMING* DE STÉPHANE DION

Trois semaines après son déclassement, Dion accepte le poste d'ambassadeur du Canada en Allemagne.

TROIS ANS PLUS TARD, LES POLICIERS
ESSAIENT DE REMETTRE LEUR PANTALON

Vague de protestations à la suite du retrait d'un crucifix dans un hôpital de Québec.

Interdiction des signes religieux : Charles Taylor renie une partie du rapport qu'il a cosigné avec Gérard Bouchard.

RECHERCHÉ
SPVM
DANGEREUX JOURNALISTE
ARMÉ D'UN CELLULAIRE

Le SPVM place le téléphone du journaliste
Patrick Lagacé sous surveillance.

LE CHEF PICHET DEMANDE UNE ENQUÊTE DE LA POLICE SUR LA POLICE

LES COLS BLEUS ONT RENOUVELÉ LEUR CONFIANCE
ENVERS LEUR PRÉSIDENTE, CHANTAL RACETTE

LE SYNDICAT DES COLS BLEUS
DE MONTRÉAL MIS SOUS TUTELLE

VUE DE HAUT D'UN DANGEREUX MEXICAIN
TENTANT D'ENTRER AUX ÉTATS-UNIS EN VÉLO

PREMIÈRE RENCONTRE : TRUDEAU MET TOUTES LES CHANCES DE SON CÔTÉ

LA GUERRE DU BOIS D'ŒUVRE

N'en déplaise à Donald Trump, Trudeau est toujours aussi populaire et paraît même à la une du magazine *Rolling Stone*.

Mal déneigée, la côte du Beaver Hall à Montréal est le théâtre d'un carambolage spectaculaire.

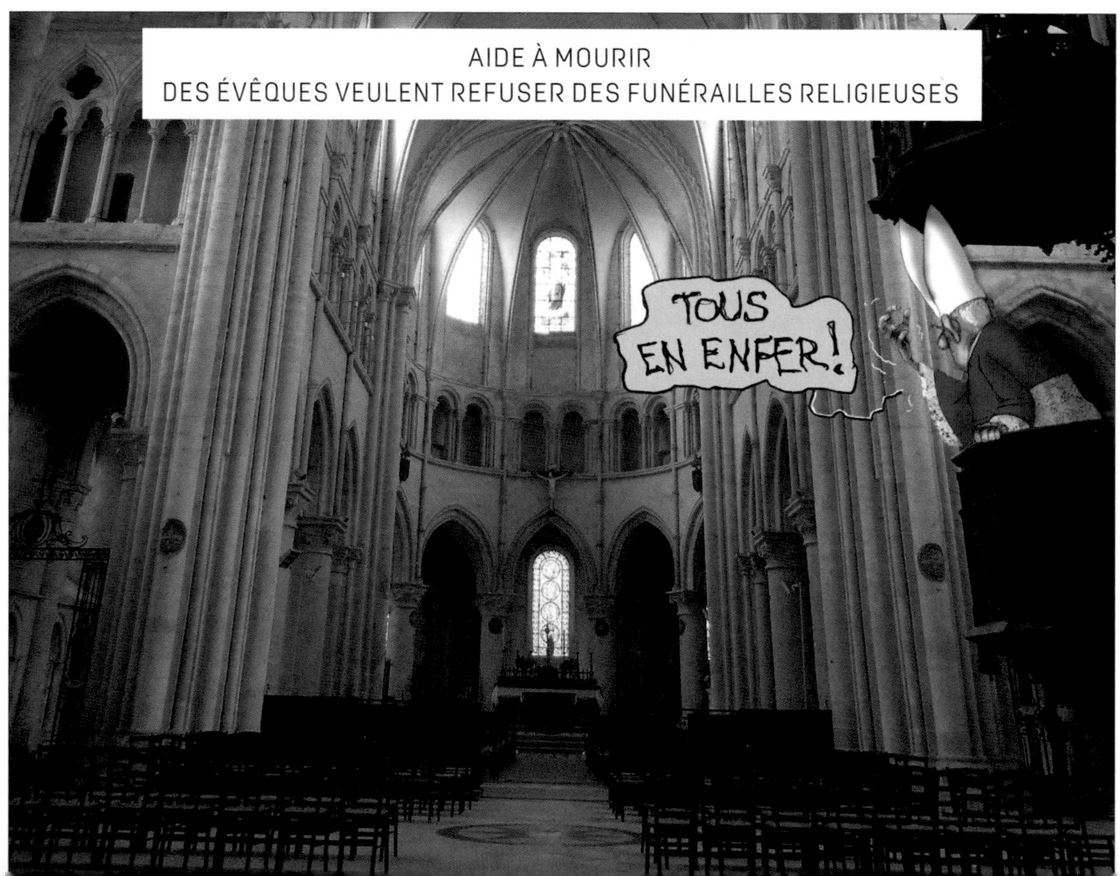

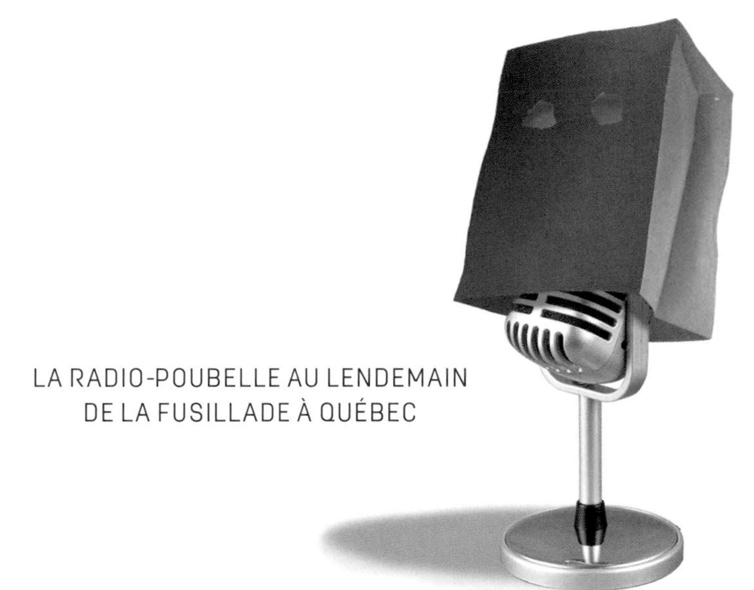

LA RADIO-POUBELLE AU LENDEMAIN DE LA FUSILLADE À QUÉBEC

Obama reçu comme une superstar par la Chambre de commerce du Montréal métropolitain

IDENTIFIEZ LES JOUEURS DU CANADIEN

Expos

MARTINE OUELLET AU BLOC QUÉBÉCOIS ?

EN ROUTE VERS LE TRANSPARLEMENTARISME

LES DÉPUTÉS INDÉPENDANTES MARTINE ET OUELLET

PROJET DE RÉFORME DE LA CARTE ÉLECTORALE:
MANON MASSÉ PERDRAIT SON SIÈGE…

MAIS CE N'EST PAS LUI LE SAUVEUR, C'EST MOI!
Federico Barocci
La Nativité 1597

SORTIE
Québec
solidaire

GABRIEL NADEAU-DUBOIS PLONGE

JE ME VOYAIS DÉJÀ EN HAUT DE L'AFFICHE…

en route vers de nouvelles aventures!

Квебек Солидарный

Gabriel Nadeau-Dubois avoue
avoir fréquenté l'école privée.

LE CHEF D'OPTION NATIONALE, SOL ZANETTI,
PROPOSE LA FUSION DE SON PARTI AVEC QUÉBEC SOLIDAIRE

ENFIN RÉUNIS :

DÉVOILEMENT DE LA POLITIQUE D'ÉDUCATION

PUIS-JE ME JOINDRE À VOUS?
...ET MOI AUSSI?
TOMATE

APRÈS LA TEMPÊTE, LE MINISTRE DES TRANSPORTS, LAURENT LESSARD, RÉAGIT

APRÈS MÛRE RÉFLEXION, NOUS SUGGÉRONS FORTEMENT AUX CONTRIBUABLES DE NE PAS FAIRE INSTALLER LEURS PNEUS D'ÉTÉ MAINTENANT !

Une tempête record paralyse l'autoroute 13.

SAM HAMAD QUITTE LA POLITIQUE

DÉFAITE CINGLANTE DES LIBÉRAUX DANS LOUIS-HÉBERT

BRAVO PHIL!
YES SIR!
HELLS ANGELS
MC
QUEBEC
HELLS ANGELS
MC
QUEBEC

BRAVO!
ALLRIGHT MON PHIL!
ENFIN UN VRAI CHEF!
HELLS ANGELS
MC
QUEBEC
HELLS ANGELS
MC
QUEBEC

Le ministre de la Défense s'attribue,
à tort, des exploits militaires.

JE VOUDRAIS PROFITER DE L'OCCASION POUR M'EXCUSER !

Philippe Couillard se défend d'avoir eu des liens étroits avec Marc-Yvan Côté.

MADELEINE MEILLEUR : LE JUPON DÉPASSE

Nomination de la commissaire aux langues officielles :
le gouvernement accusé de favoritisme.

JUSTIN TRUDEAU DONNANT QUELQUES JUDICIEUX CONSEILS À EMMANUEL MACRON

LES *SELFIES* FUNÉRAIRES GAGNENT AUSSI LE CANADA

JAGMEET SINGH ATTENDANT LA PROCHAINE VAGUE ORANGE

STEVEN BLANEY SE LANCE LUI AUSSI; QUE LE SPECTACLE COMMENCE

LAPITOUNE

PREMIÈRE RENCONTRE XI JINPING-DONALD TRUMP

TRUMP ACCUSE OBAMA DE L'AVOIR MIS SOUS ÉCOUTE

Relations tendues entre Donald Trump et la première dame.

AMAZING!!!
TU ME LAISSES
LE NOM DE TON
DÉCORATEUR!

TRUMP OBLIGÉ DE RETIRER SA RÉFORME SUR LA SANTÉ

« AUCUN HOMME POLITIQUE N'A ÉTÉ TRAITÉ PLUS INJUSTEMENT QUE MOI »
- DONALD TRUMP

TRUMP AURA-T-IL SON WATERGATE?

La Caisse de dépôt et placement réclame le départ de Pierre Beaudoin.

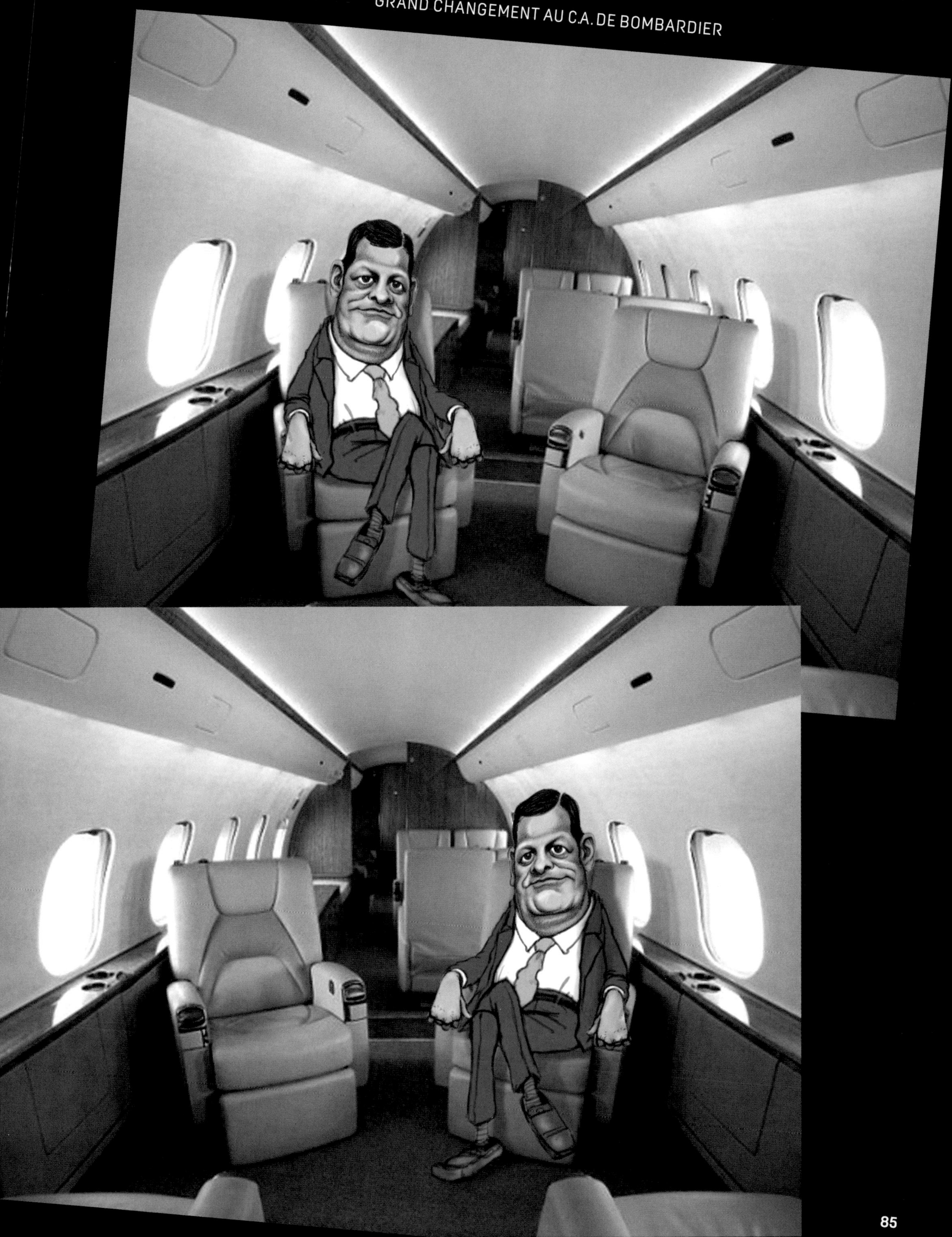

UNITED
J'VEUX PAS SORTIR !

Air transat
LAISSEZ-MOI SORTIR !

BARRETTE S'INSPIRE DE LA MÉTHODE UNITED

Le gouvernement Couillard présente une nouvelle proposition constitutionnelle.

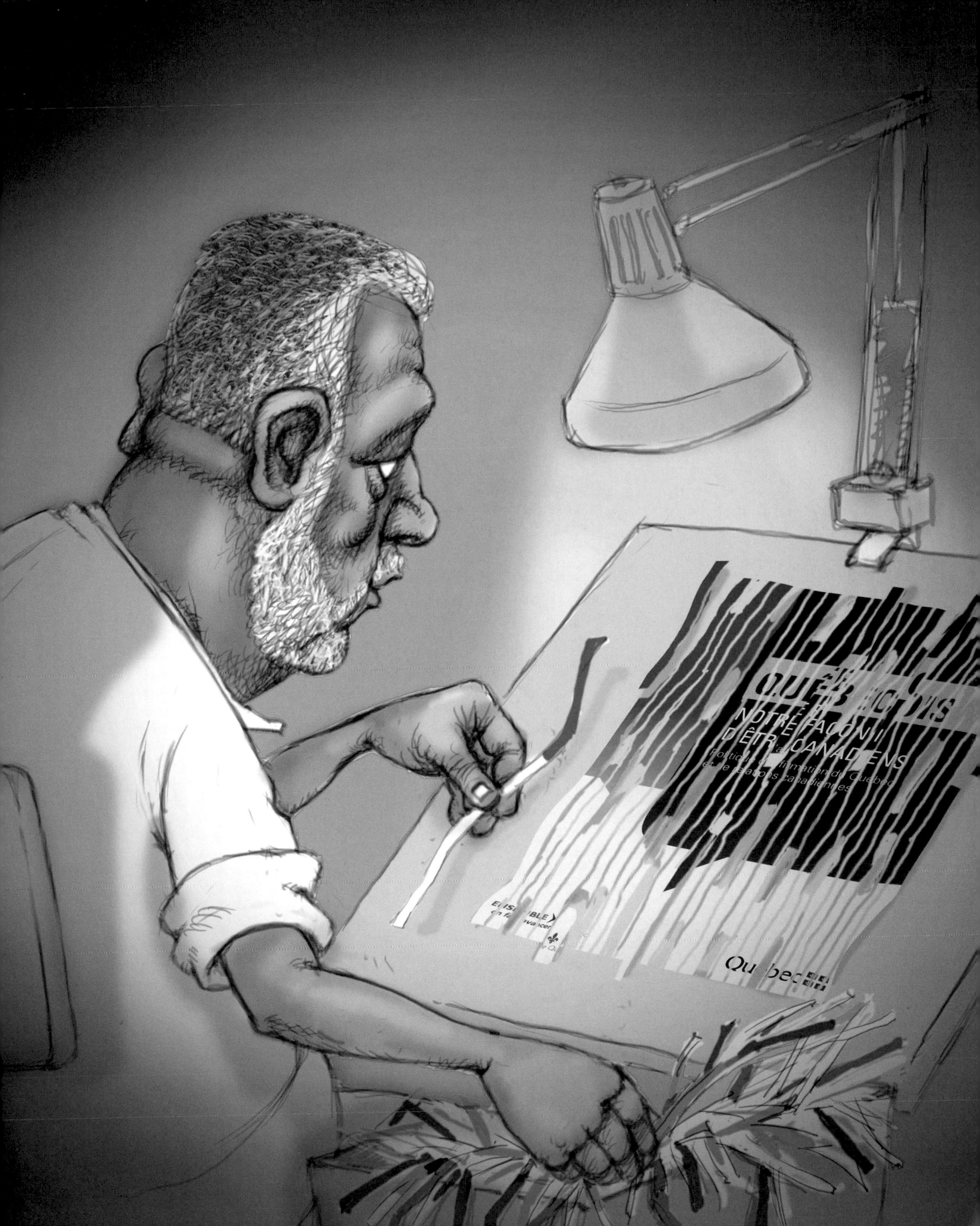

LENDEMAIN DE BUDGET

VIEILLE EXPRESSION QUÉBÉCOISE :
POGNÉ LES CULOTTES À TERRE

Allégations d'intimidation et de harcèlement psychologique : le candidat libéral dans Louis-Hébert, Éric Tétrault, jette l'éponge.

TÉTRAULT ET SAUVAGEAU SE RETIRENT DE LA COURSE

VISITE DU BALCON DE L'HÔTEL DE VILLE

DEMANDEURS D'ASILE : LA DISTRIBUTION DE CHÈQUES
SE FERA AU PALAIS DES CONGRÈS

LENDEMAIN DE MANIFESTATION À QUÉBEC

À Québec, des casseurs perturbent une manifestation du mouvement identitaire La Meute.

TENUE SUGGÉRÉE AU MAIRE LABEAUME POUR VISITER TROIS-RIVIÈRES

Régis Labeaume invite les manifestants à « aller se faire voir » à Trois-Rivières.

LA NUIT DES MORTS VIVANTS MUSULMANS

SAINT-APOLLINAIRE

INSPIRÉE ET EN HOMMAGE AU RÉALISATEUR GEORGE A. ROMERO

Les citoyens de Saint-Apollinaire, près de Québec,

CAMPAGNE ÉLECTORALE : C'EST DÉJÀ PARTI…

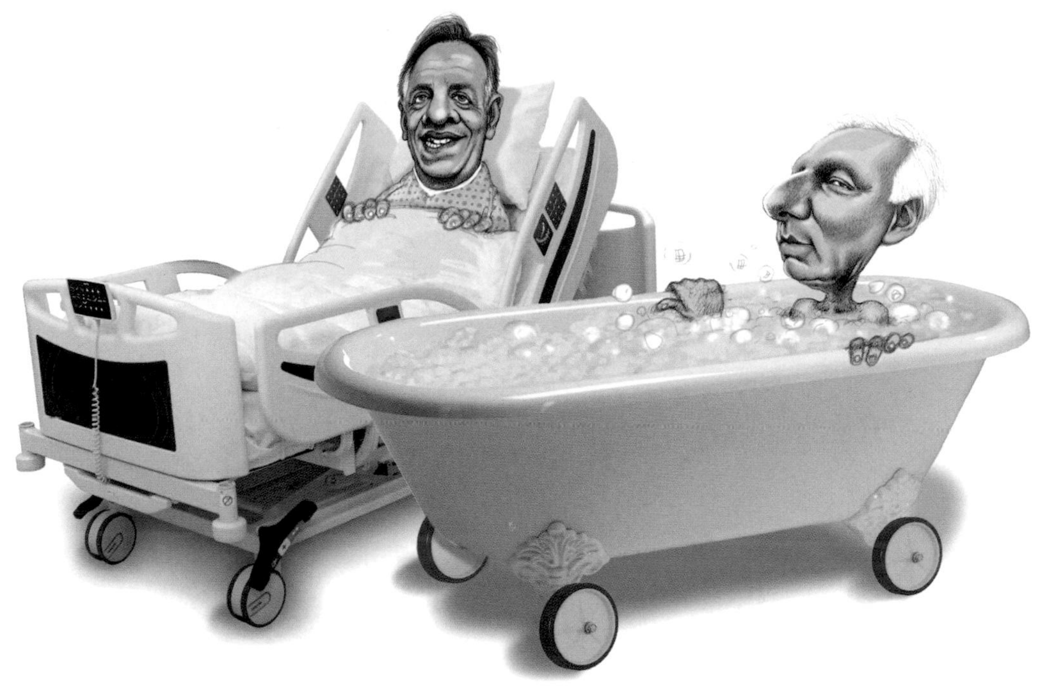

Legault et Lisée dénoncent l'état du système
de santé et des soins aux aînés.

EN ROUTE VERS LES CHEMINS DE LA VICTOIRE

PENDANT QUE LA CAQ, LE PQ ET QS S'AFFRONTENT

CHHHT!

OUVERTURE DE LA CIMENTERIE MCINNIS

2016: ANNONCE DU RETARD DE L'OUVERTURE DU CHUM

2017: OUVERTURE DU CHUM

Accueil mitigé pour la course de formule E à Montréal.

LE «FROTTEUR NÉGATIF», PIÈCE EN FORME DE SABOT
QUI TOUCHE AU RAIL, RESPONSABLE DES DOMMAGES

Les nouvelles voitures du métro sont temporairement mises hors service.

TOURISME : ANNÉE RECORD À MONTRÉAL

JOËL LEGENDRE ESSAIE DE RÉPARER SON ERREUR

Une mise en scène aux allures esclavagistes fait scandale au défilé de la fête nationale.

C SERIES : 220 % DE DROITS COMPENSATOIRES !

PLUS BESOIN DE CF-18 DE BOEING

photos de vacances
ÇA, C'EST MOI EN TRAIN DE FAIRE MON SAUT PRÉFÉRÉ: LA BOMBE!
ÇA, C'EST MOI DEVANT MA RÉSIDENCE DE FONCTION FOURNIE PAR LE BLOC!

ET MAINTENANT UN AUTRE ÉPISODE DE "THE STORY OF US"

On s'en Kialis

Une série télévisée historique est produite pour le 150e du Canada.

Plusieurs régions du Québec touchées par des inondations printanières majeures.

Justin Trudeau est accusé de ne pas en faire assez pour les ressortissants canadiens victimes de l'ouragan *Irma*.

OK! ON NE POUSSE PAS, LES GARS, C'EST CHACUN SON TOUR!

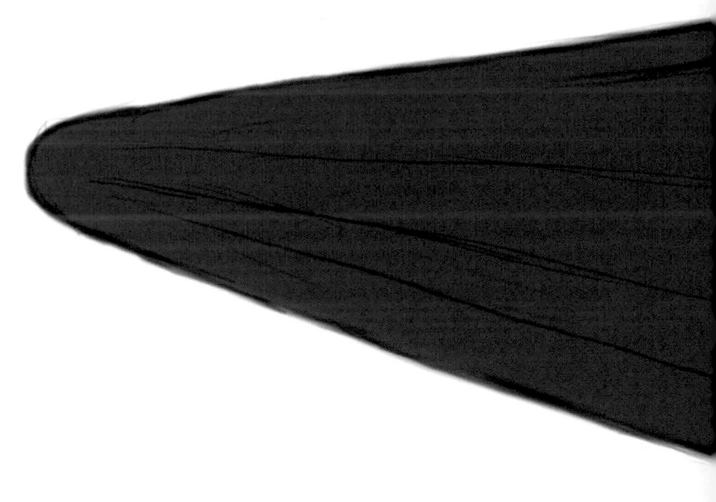

ET MAINTENANT NOUS POURRONS POIVRER CES CHIENS D'IMPÉRIALISTES!

Donald Trump congédie un autre membre de sa garde rapprochée.

TRUMPZILLA

GAME OF TRUMP

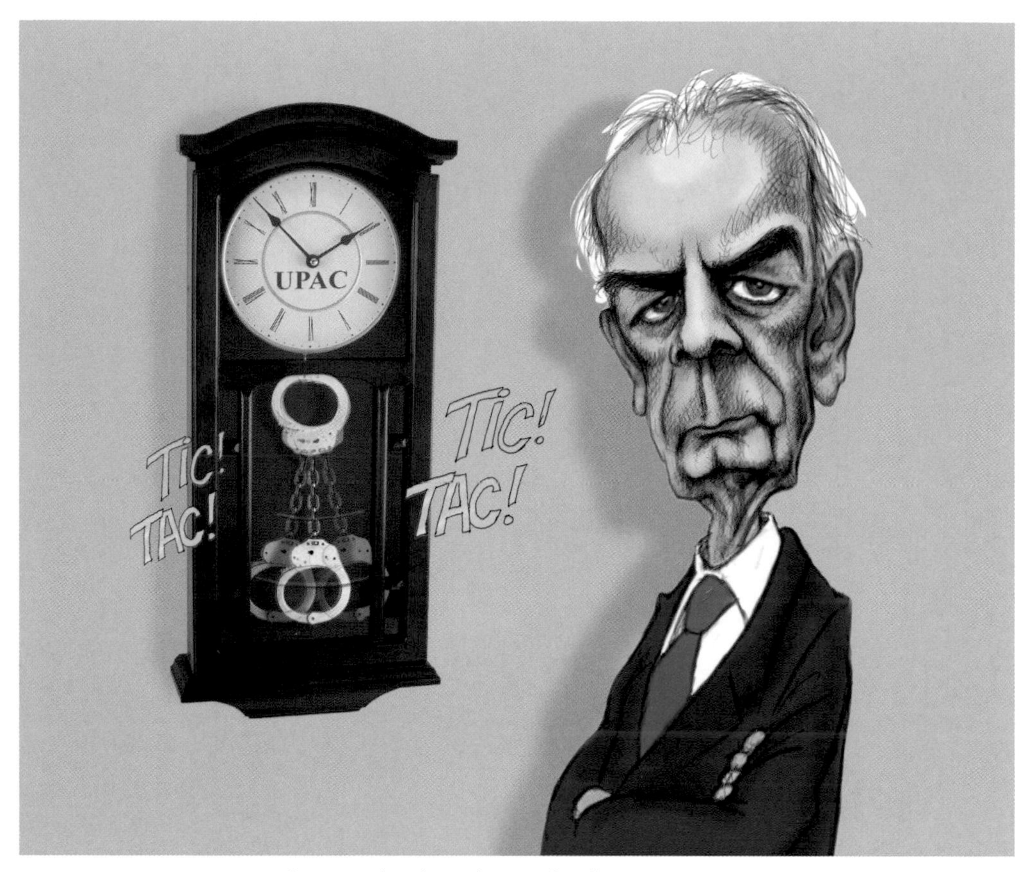

UPAC : le commissaire Robert Lafrenière se veut rassurant
même si les enquêtes prennent du temps.

YVES FRANCOEUR OBSERVE LES EFFETS DE SES DÉCLARATIONS CHOCS

LA POPULARITÉ DE JAGMEET SINGH, NOUVEAU CHEF DU NPD, NE SE DÉMENT PAS

D'après l'oeuvre de François Boucher
"Portrait de la Marquise de Pompadour" 1756

La secrétaire générale de l'Organisation internationale de la Francophonie, Michaëlle Jean,

JULIE PAYETTE A DÉJÀ ÉTÉ ACCUSÉE DE VOIES DE FAIT

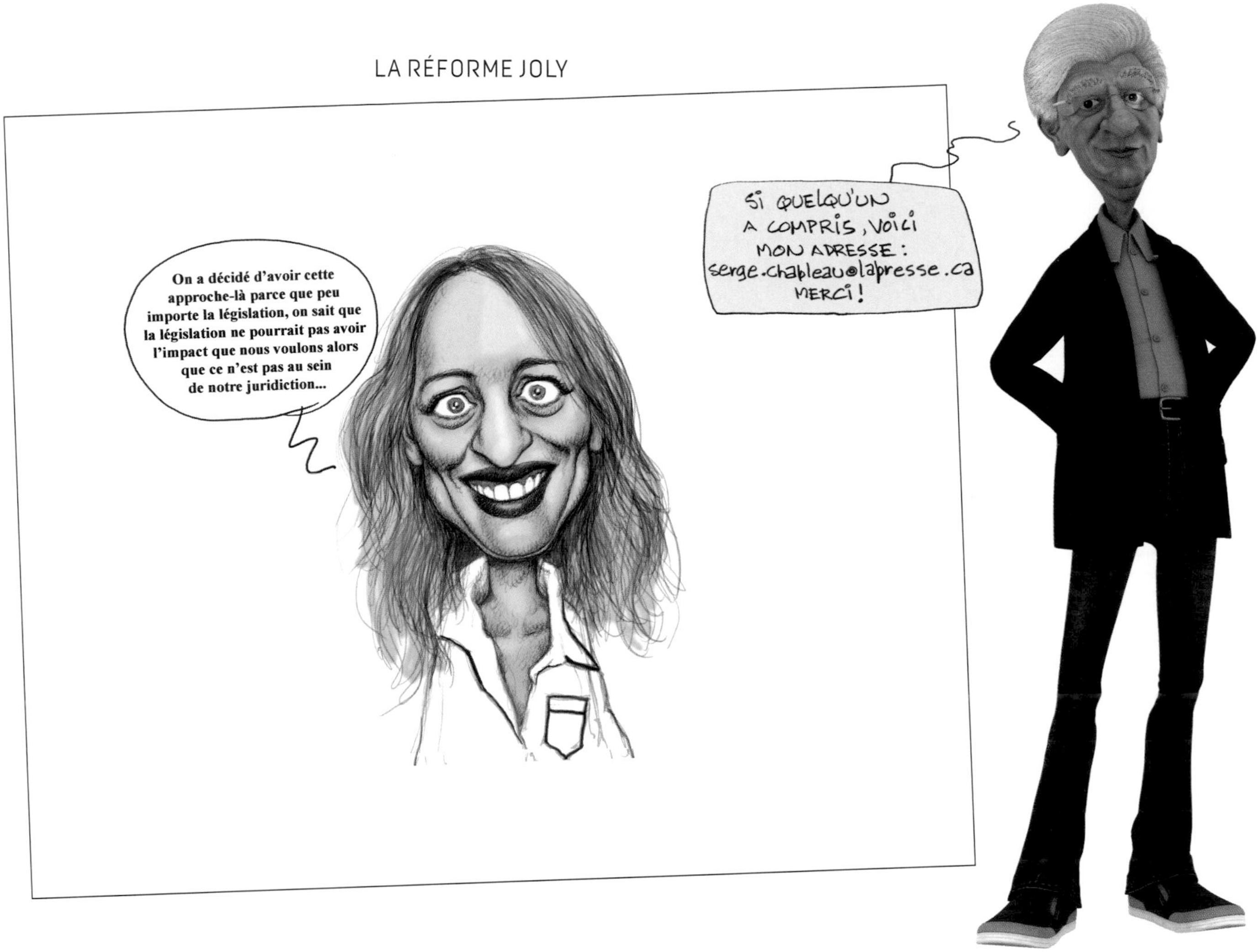

On a décidé d'avoir cette approche-là parce que peu importe la législation, on sait que la législation ne pourrait pas avoir l'impact que nous voulons alors que ce n'est pas au sein de notre juridiction...

SI QUELQU'UN A COMPRIS, VOICI MON ADRESSE : serge.chapleau@lapresse.ca MERCI !

JANINE SUTTO
1921-2017
RÉJEAN DUCHARME
1941-2017
LEONARD COHEN
1934-2016

DE NIXON À TRUMP

Cette année, mon regard et ma table à dessin se sont souvent tournés vers la Maison-Blanche. Par ses facéties tantôt exaspérantes, tantôt consternantes, Donald Trump a su me garder bien occupé.

Mais ce n'est pas d'hier que les présidents américains constituent des sujets de choix pour mes caricatures.

De Nixon à Obama, en passant par Clinton et Bush, je me suis toujours fait un malin plaisir de relever leurs travers. Comme quoi, avec quelques coups de crayon, celui que l'on surnomme l'homme le plus puissant de la planète peut se révéler bien vulnérable.

Publiée en 1973

Publiée en 1974

Richard Nixon 1969-1974

Dans les livres d'histoire comme dans mes caricatures, Richard Nixon aura été indissociable de son rôle dans le scandale du Watergate.

NÉGOCIATIONS DE PAIX
C'EST L'HISTOIRE DU BOSNIAQUE QUI RENTRE À L'HÔTEL...
C'EST QUOI SON NOM DÉJÀ, LUI ?

Publiée en 1994

Jimmy Carter 1977-1981

Je n'ai pas souvent dessiné Jimmy Carter durant son mandat de président. Mais j'ai eu l'occasion de lui tirer le portrait à quelques reprises par la suite, notamment alors qu'il exerçait un rôle de médiateur.

LES TERRORISTES SERONT PUNIS
CHIITES...!!
I FORGOT SOMETHING!
'85

Publiée en 1985

Ronald Reagan 1981-1989

En raison de son passé d'acteur, il fut souvent tentant de mettre en scène ce président dans la peau de personnages célèbres d'Hollywood. Scénario catastrophe en prime !

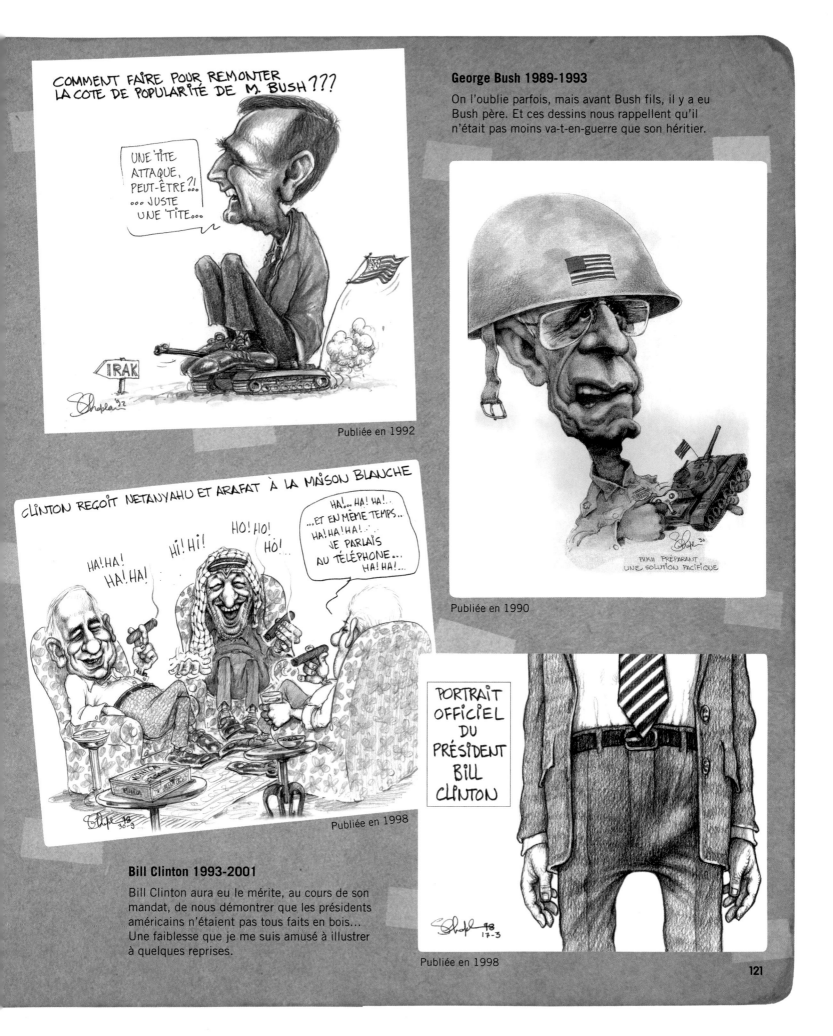

COMMENT FAIRE POUR REMONTER LA COTE DE POPULARITÉ DE M. BUSH???
UNE 'TITE ATTAQUE, PEUT-ÊTRE?!... JUSTE UNE 'TITE...

Publiée en 1992

George Bush 1989-1993

On l'oublie parfois, mais avant Bush fils, il y a eu Bush père. Et ces dessins nous rappellent qu'il n'était pas moins va-t-en-guerre que son héritier.

BUSH PRÉPARANT UNE SOLUTION PACIFIQUE

Publiée en 1990

CLINTON REÇOIT NETANYAHU ET ARAFAT À LA MAISON BLANCHE
HA! HA! HA! HA!
HI! HI!
HO! HO! HO!...
HA!... HA! HA!... ...ET EN MÊME TEMPS... HA! HA! HA!... JE PARLAIS AU TÉLÉPHONE... HA! HA!...

Publiée en 1998

Bill Clinton 1993-2001

Bill Clinton aura eu le mérite, au cours de son mandat, de nous démontrer que les présidents américains n'étaient pas tous faits en bois... Une faiblesse que je me suis amusé à illustrer à quelques reprises.

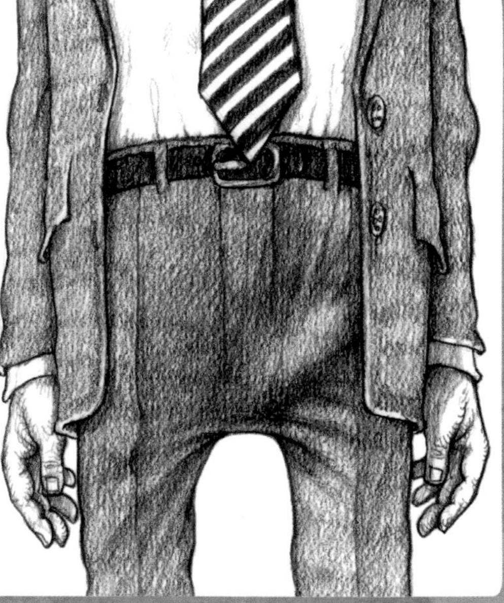

PORTRAIT OFFICIEL DU PRÉSIDENT BILL CLINTON

Publiée en 1998

SCEAU DU CARICATURISTE
· SERGE CHAPLEAU ·

George W. Bush 2001-2009

Comme vous pouvez le voir dans ces quelques caricatures, une chose qui ne m'a jamais vraiment frappée chez George W. Bush, c'est l'intelligence.

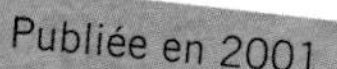
Publiée en 2001

BUSH À BAGDAD POUR LA THANKSGIVING:
LES SOLDATS AMÉRICAINS NE S'ATTENDAIENT PAS
À CETTE DINDE-LÀ!

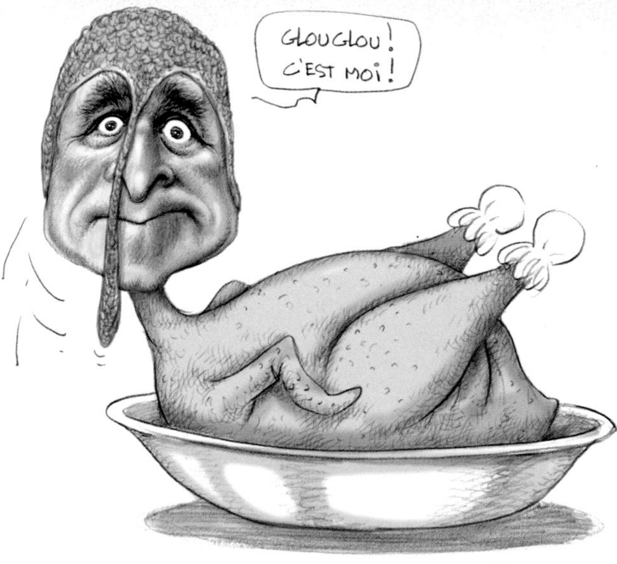
GLOUGLOU!
C'EST MOI!

Publiée en 2003

POURQUOI
ME LANCE-T-ON
DES SOULIERS?

Publiée en 2008

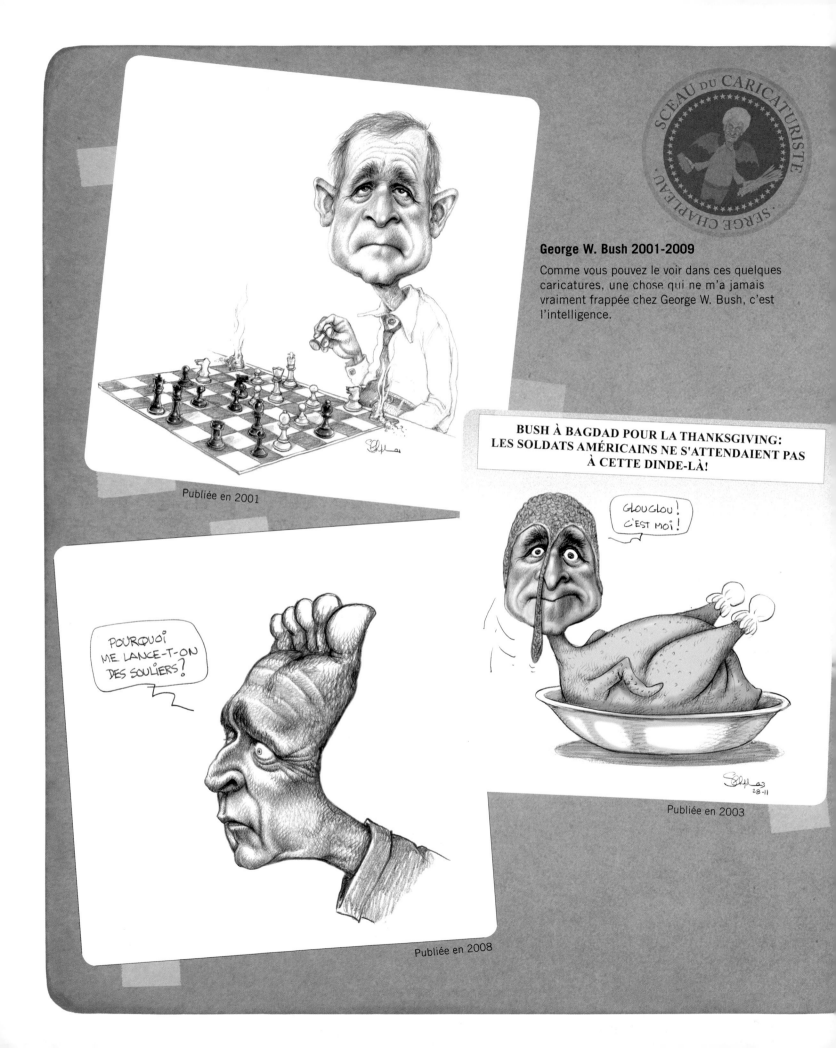

Publiée en 2003

BUSH PUBLIE SES MÉMOIRES

J'AI HÂTE DE LIRE ÇA !

GEORGE W
BUSH
DECISION POINTS

Publiée en 2010

Publiée en 2011

Barack Obama 2009-2017

Malgré tous les espoirs qu'il suscitait, Barack Obama a été, plus d'une fois, menotté par l'opposition républicaine au Congrès. Bref, il ne l'a jamais «eu facile». Cela m'a permis, la plupart du temps, de le présenter comme une sorte de martyr.

CONTRÔLE DES ARMES À FEU
ÇA RISQUE D'ÊTRE LONG!

Publiée en 2016

Publiée en 2008

Publiée en 2009

Publiée en 2016

Donald Trump 2017-

Si, jusqu'à maintenant, chacun des présidents avait un défaut ou un trait particulier qu'il était amusant de souligner, Donald Trump, lui, se distingue. Il est à lui seul un débordement de travers, de contradictions, de bévues, de scandales et de faux pas. À tel point qu'il est parfois difficile de rendre la caricature plus ridicule que le vrai...

INÉDITE

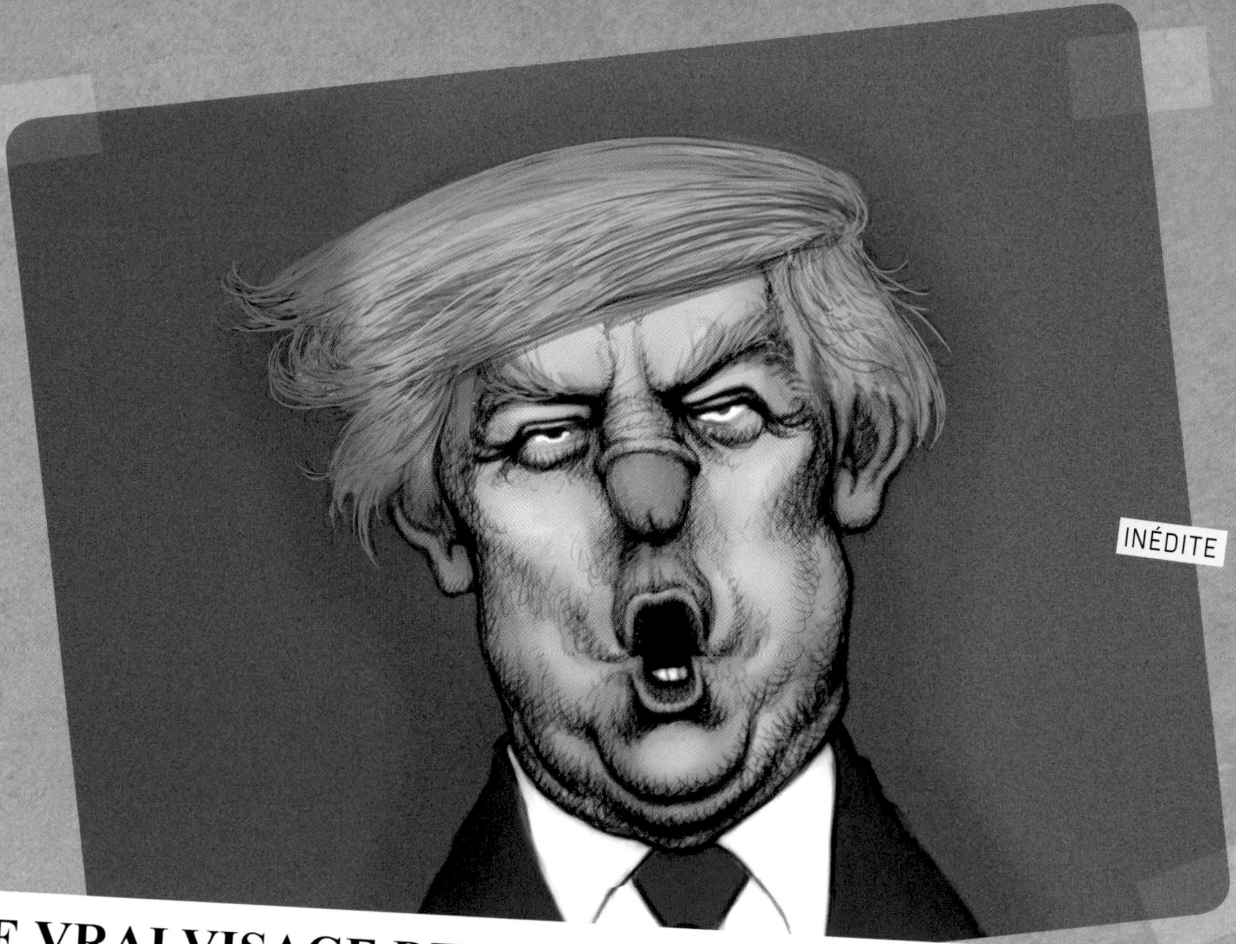

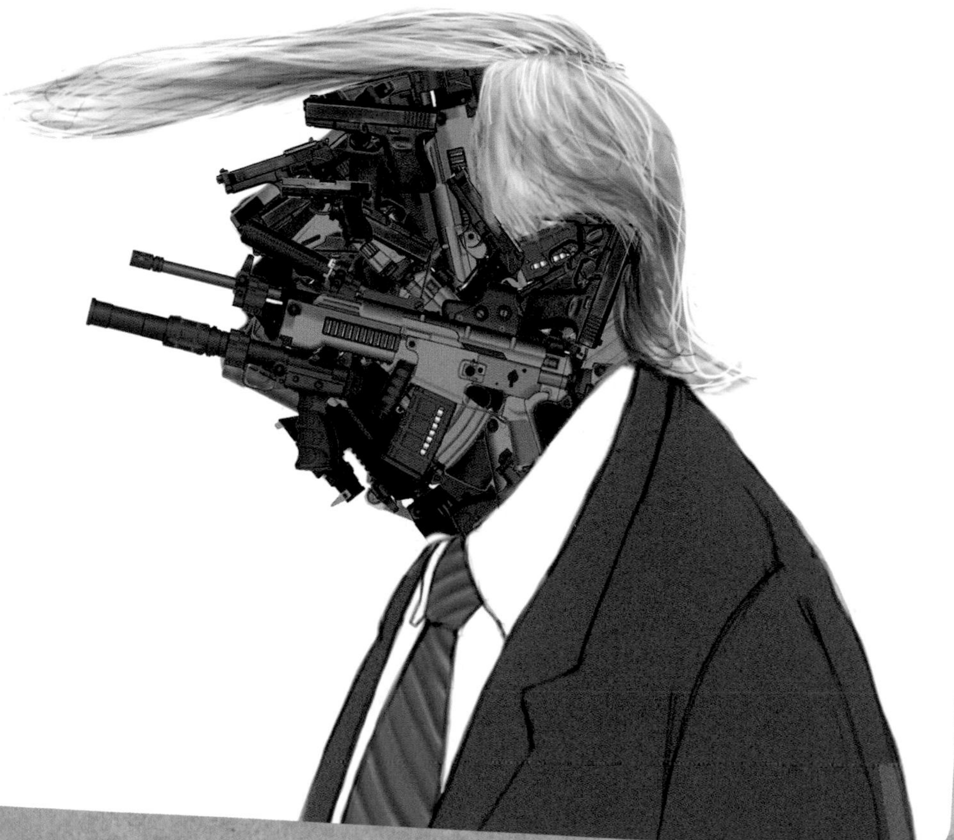
LE VRAI VISAGE DE DONALD TRUMP

Publiée en 2016

FSC
www.fsc.org
MIXTE
Papier issu
de sources
responsables
FSC® C011825